Casi se muere

Lisa Turner and Blaine Ray

Written by Lisa Turner and Blaine Ray
Illustrations by Laia Amela Albarran

Published by:
TPRS Books
9830 S. 51st Street-B115
Phoenix, AZ 85044

Phone: (888) 373-1920
Fax: (888) 729-8777
www.tprsbooks.com
info@tprsbooks.com

Let us know what you think!
Did you notice any errors or would like to give us feedback on the book? Send us an email at feedback@tprsbooks.com.

First edition 1999.
Second edition 2017.

Printed in the U.S.A. on acid-free paper with soy-based ink.

ISBN-10: 1-60372-442-7
ISBN-13: 978-1-60372-442-5

Índice

CAPÍTULO UNO
Una chica especial

Emma Silva es una chica típica. Es joven y tiene dieciséis años. Vive en Phoenix, Arizona. Estudia en una escuela normal. Su escuela se llama Desert Vista High School. Es una escuela como todas las escuelas en los Estados Unidos. Su escuela es grande. Tiene muchas clases y varios estudiantes.

Emma tiene una familia normal. Su padre se llama Charles y trabaja de policía. Su madre se llama Cristina y trabaja en una oficina de secretaria. La oficina está en el hospital y se llama Banner Desert Hospital. Emma tiene un hermano y una hermana. Su hermano se llama Paul y su hermana se llama Stephanie. Paul tiene quince años y también estudia en Desert Vista High. Stephanie tiene doce años. Stephanie estudia en Altadeña Middle School. La familia es muy simpática y está muy unida.

Emma tiene el pelo largo y bonito. El pelo es rubio y los ojos son azules. No es alta ni baja. Tiene una cara bonita pero no tan bonita. Es inteligente pero no es más inteligente que Albert Einstein.

Emma tiene una casa normal. La casa tiene dos pisos. Hay piscina. La casa es una casa típica de Arizona.

Tiene tres dormitorios, una cocina y una sala.

La familia de Emma no es ni pobre ni rica. Tienen dos carros. Uno es un Toyota Prius con cuatro puertas y el otro es una miniván. Ella no puede ir en el auto a la escuela porque sus padres lo necesitan para ir al trabajo.

Emma tiene dos amigas que viven en su misma calle. Las dos estudian en su escuela y tienen familias típicas también. Una de las amigas se llama Alice. Le dicen Alicia porque ella está estudiando español.

La casa de Emma está a unos diez minutos del centro comercial. Ella pasa cada fin de semana en el centro comercial con sus amigas. Muchos estudiantes pasan tiempo en el centro comercial. Ella y sus amigas pasan muchas horas en el centro comercial y hablan por teléfono celular y miran a los chicos guapos.

A Emma le gusta leer. Lee mucho. Lee las novelas de Hunger Games y otras novelas como Harry Potter. A Emma le gusta leer los libros de Harry Potter. También le gusta ver las películas. A veces estudia pero no mucho. Prefiere leer.

Emma estudia muchas cosas interesantes en la escuela. Estudia inglés, arte, ciencias, matemáticas, música y español. Su clase favorita es español. Emma piensa que es muy interesante aprender palabras nuevas. Su profesora es la Sra. Marino. Ella tiene 21 años de experiencia enseñando español. Es muy buena profesora.

Le gusta la lengua porque en Arizona muchas personas hablan español. La familia de Emma no habla español en casa. Solo saben algunas palabras. Emma es la única de la familia que sabe hablar español. Emma quiere practicarlo con su familia pero nadie sabe hablarlo. Si Emma quiere hablar español, necesita ir a la escuela. Ella quiere hablar español muy bien. Por eso pone mucho interés en su clase de español.

Un día, en la clase de español, la Sra. Marino les habla a los estudiantes acerca de una oportunidad muy buena. Dice:

—Hay una posibilidad de ir a un país en Sudamérica por tres meses. Hay que hacer una solicitud. Todos los años escogen a un estudiante de Desert Vista High para ir.

Después de la clase, Emma habla con la profesora y le pide una solicitud. Ella escribe muchos detalles acerca de su vida. Le manda la solicitud a un hombre que vive en Nueva York.

Dos meses más tarde Emma recibe una carta. La carta dice que ella puede ir a Chile por tres meses. Desde ese momento la vida de Emma cambia completamente. Va a viajar a Chile para vivir allí con una familia. Va a pasar el verano (los meses de julio, agosto y septiembre) en una ciudad llamada Temuco. Ella no sabe nada de Temuco. Por eso va a la biblioteca a sacar un libro. Comienza a leer sobre Chile.

CAPÍTULO DOS
¿Cómo es Chile?

Chile es un país muy largo. Es mucho más largo que Arizona. En Chile muchas personas viven cerca de la costa.

Chile está en Sudamérica. Cuando es verano en Arizona, es invierno en Chile. Cuando es invierno en Chile, es verano en Arizona. El clima de Chile es similar al clima de Arizona. Casi nunca hace mucho frío. Hace mucho sol en Chile con una excepción. En el invierno en el sur de Chile llueve mucho. Llueve todos los días.

En el norte de Chile está el famoso desierto Atacama. Hay poca vegetación en el desierto.

La capital de Chile es Santiago. Santiago está en medio del país. La mayoría de las personas viven cerca de Santiago. Chile es vecino de Argentina. Chile está al lado de Argentina. Hay mucha influencia de Europa en los dos países. La capital de Argentina es Buenos Aires, donde hay muchas personas de ascendencia italiana. En el sur de Chile hay muchos alemanes.

Hay grandes montañas en Chile. Se llaman los Andes. Los Andes tienen la montaña más alta de las Américas. Se llama Aconcagua. Es más alta que Denali

en Alaska.

En Chile la comida es muy buena. El plato más popular de Chile es la empanada. Los chilenos dicen que las empanadas son muy ricas. La empanada es el plato nacional de Chile. Es similar a una hamburguesa pero sin pan. Para preparar una empanada los chilenos le ponen carne, cebollas y otras cosas por dentro de la masa. La fríen o la meten al horno. También preparan empanadas de queso. Son similares. La única diferencia es que ponen queso en la masa en vez de carne. Los chilenos comen muchas papas y ensalada. La comida de Chile es muy diferente a la comida de México. No hay tacos, enchiladas ni burritos en Chile.

El día de la independencia de Chile es el 18 de septiembre. Hace muchos años España tenía dominio de Chile. Chile se rebeló. Fue muy similar a la independencia de los Estados Unidos. Los Estados Unidos se rebeló contra Inglaterra y muchos de los países en Sudamérica se rebelaron contra España. Cada año hay una gran celebración de la independencia de Chile. Las tiendas cierran y todos van a muchas fiestas para celebrar. En Chile es obligatorio poner una bandera chilena delante de la casa. También hay fiestas donde las personas pueden bailar. Bailan el baile nacional de Chile. El baile se llama la cueca. Estas fiestas se llaman ramadas.

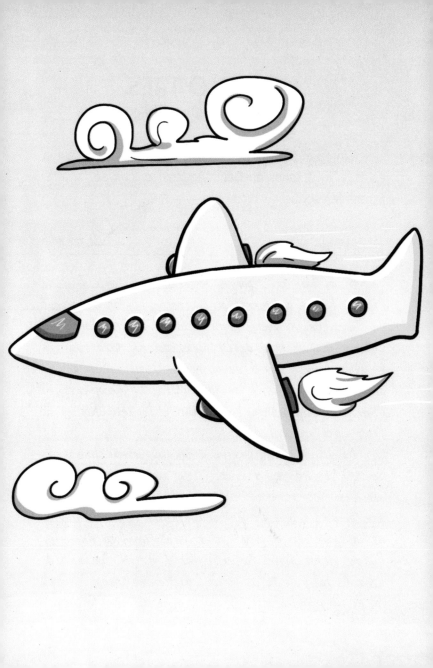

CAPÍTULO TRES
La vida nueva en Chile

Emma le escribe una carta a su amiga Alicia. Alicia está de vacaciones en Cancún, México, con su familia. Emma le escribe:

Querida Alicia: 20 de julio

Estoy muy feliz porque hoy salí para Chile. Salí de Phoenix. Fui al aeropuerto por la noche. Fueron diez horas de viaje. Fue un vuelo directo. Salí a las 20 horas. En Chile se usa un reloj de 24 horas, así que para nosotros mi avión salió a las 8 de la noche. Llegué a Santiago al día siguiente a las 9 de la mañana. El aeropuerto en Phoenix es muy grande. Fui en Lan Chile. Lan Chile es la línea aérea nacional de Chile.

Me subí al avión. Era un avión muy grande. Había más de 300 personas en el avión. Vi que todo era normal. Pero ahora muchas personas hablaban en español. Hablo mucho español pero hay mucho que no comprendo. Me senté al lado de un joven de mi misma edad. Habló un poco de inglés. Pudimos comunicarnos. Me gustó hablar con él. Me habló de Chile. Me habló de la comida. Dijo que las empanadas chilenas

eran muy ricas. Dijo que muchos estudiantes de Chile van a escuelas privadas. Y dijo que no se puede manejar hasta los dieciocho años de edad.

Llegué a Chile. Estuve en el aeropuerto internacional de Santiago. Se llama Pudahuel. Busqué a mi familia. Ellos me esperaban cuando me bajé del avión.

La mamá se llama Victoria y el papá se llama Pedro. Tienen una hija que se llama Teresa y otra que se llama Elena. Yo estoy feliz de estar en Chile. Hablé mucho con mi familia en el aeropuerto.

Salimos del aeropuerto y fuimos a un restaurante en Providencia. Providencia es un lugar popular en Santiago. Fuimos a un restaurante que sirve comida italiana. Pedimos pizza. Era igual que la pizza de Arizona.

Después de comer, nos fuimos a la costa. Hay una ciudad que tiene playas hermosas en Chile. Se llama Viña del Mar. Pasamos dos días en un hotel en Viña. El hotel se llama el Hotel Alcázar. Era un hotel que no es ni barato ni caro. Nos divertimos pero no fuimos a la playa porque aquí es invierno. Hay una playa famosa que se llama Playa Recoleta.

Cuando estuvimos en Viña, Teresa y yo fuimos a otro pueblo que se llama Limache. Teresa tiene familia en Limache. Nos subimos al bus, como dicen en Chile, y fuimos. En veinte minutos llegamos a la casa de los primos de Teresa. El primo se llama Enrique y la prima se llama Mónica. Después de unos pocos días, Teresa y yo nos hicimos buenas amigas. Hablamos de todo. Ella sabe hablar inglés muy bien. También ella me ayudó con mi castellano. En Chile nadie usa la palabra español. Todos dicen "castellano". Ahora yo no hablo español. Solo hablo castellano.

Después de dos días en la playa, salimos para Temuco. Es un viaje de doce horas. Fuimos en la Carretera Panamericana. Por fin llegamos a la casa de Pedro. Es una casa amplia con cuatro dormitorios. En la casa tienen un televisor, una radio, una computadora y un horno de microondas. El baño es muy similar a los de Arizona también.

Voy con Teresa a su escuela secundaria. Es una escuela buena. La escuela se llama Bernardo O'Higgins. La escuela se llama así porque el primer presidente se llamaba Bernardo O'Higgins. Bernardo O'Higgins es el padre de la patria. Bernardo O'Higgins es el George Washington de Chile.

Normalmente vamos a la escuela a las 8 de la mañana. Las clases terminan a las 13 horas. La escuela es diferente porque los estudiantes no van a otras clases. Los profesores cambian de salón de clase y los estudiantes se quedan en el mismo salón.

Otra diferencia de las escuelas en Chile es que todos los estudiantes llevan uniformes. En las escuelas públicas de Chile todos los estudiantes llevan el mismo uniforme.

Un estudiante que vive en Antofagasta lleva el mismo uniforme que un estudiante que vive en Concepción. El uniforme de las chicas es una falda azul con una blusa blanca y un suéter azul. Los muchachos llevan pantalones azules, un suéter azul, una camisa blanca y una corbata azul. En las escuelas privadas usan uniformes diferentes.

Tengo mucho más que quiero decirte pero no tengo más tiempo. Te escribo otro día.

Con cariño,
Emma

CAPÍTULO CUATRO
Emma salva al chico

Todo comienza el primer día de clases. Emma no es doctora, pero hoy salva una vida. Salva la vida de Pepe Ayala. Hay muchas cosas raras o diferentes en la escuela. Algunos estudiantes hacen nuevos amigos. Otros estudiantes hacen nuevos enemigos. Algunos estudiantes hacen planes para hacer una fiesta en la escuela. Otros hablan, ríen y gritan en la escuela.

Nadie quiere morirse en la escuela. Nadie. Hoy un estudiante casi se muere en la escuela. Pepe Ayala no quiere morirse. Pero casi se muere. Mientras come un pedazo de carne, no puede tomar aire. Trata de gritar pero no puede gritar.

Nadie ve a Pepe. Pepe no tiene amigos en la escuela. Es un chico nuevo de Osorno, un pueblo en el sur de Chile. Pepe va solo a las clases. Lo hace todo solo. Hoy Pepe está solo. Está comiendo. Está comiendo un pedazo de carne. La cara de Pepe está morada ahora pero nadie lo ve.

Nadie lo ve con excepción de Emma Silva. Emma mira a Pepe y Pepe tiene las manos en la garganta.

Emma sabe que algo le pasa a Pepe. Emma mira a Teresa y grita:

—Algo está mal. Hay un problema.

Teresa responde:

—Es verdad. Pobre Pepe no tiene amigos. Siempre está solo.

Emma le dice:

—No, no. Mira. Tiene un problema ahora. Su cara está morada.

—No sé por qué no tiene amigos. Probablemente porque es nuevo aquí —explica Teresa.

Hay solo una persona en la escuela que ve la cara morada de Pepe. Ella sabe que Pepe está mal y que no puede tomar aire.

Emma corre hacia Pepe y grita:

—¿Puedes tomar aire?

Pepe mueve la cabeza pero no dice nada porque no puede tomar aire. Pepe tiene mucho miedo.

Emma sabe ayudar a Pepe. Ella se pone detrás de Pepe, pone los brazos alrededor de él y presiona. Presiona mucho en el estómago de Pepe.

Muchos estudiantes miran. Un pedazo de carne sale de la boca de Pepe. La carne sale y le pega a Jaime Campos en la camisa. Jaime Campos es el chico más grande y más malo de la escuela. Todos le tienen miedo.

A Pepe no le importa Jaime para nada. Está feliz porque está vivo. Pepe mira a Emma y le dice:

—Gracias. Estoy feliz porque estoy vivo. Estoy vivo gracias a tu buena acción.

Ahora hay muchas personas alrededor de Emma. Estudiantes y profesores. Los profesores gritan:

—¡Qué bueno! Pepe está vivo gracias a la acción de Emma.

Emma es una heroína. Pero tiene vergüenza.

Es tarde y muchos salen a sus casas. Emma y Pepe están solos. Pepe habla con Emma. Le dice:

—Gracias por salvarme la vida.

Emma responde:

—De nada. Estoy feliz de ayudarte.

Pepe agarra la mano de Emma y le mira a los ojos.

—Otra vez, te digo gracias.

Emma le contesta:

—No necesitas decirme gracias. No es nada.

Los dos caminan juntos cuando Jaime los mira y camina hacia ellos. Pepe le tiene miedo a Jaime. Jaime es mucho más grande que Pepe. Comparado con Pepe, Jaime es un gigante.

Jaime le toca el pelo a Pepe y grita:

—¡Lárgate, idiota!

Después de un rato, Jaime se va. Emma y Pepe

están contentos. Emma comienza a caminar a su casa. Pepe la acompaña. Pepe le dice:

—Gracias otra vez.

Emma solo quiere irse a su casa.

Emma escribe otro mensaje a Alicia que describe el evento:

Querida Alicia: *10 de agosto*

No vas a creer esto. Estaba en la escuela cuando vi a un chico que no podía respirar. La cara estaba morada. Yo corrí hacia él. Le ayudé. Tenía un pedazo de carne en la garganta. Presioné en su estómago. Por fin la carne salió y el chico no se murió. El chico se llama Pepe Ayala.

Pero hay un problema. El pedazo de carne le pegó a un chico grande y malo. Ahora el chico malo quiere pelear. El muchacho malo se llama Jaime Campos. Pienso mucho en Pepe. No sé por qué. Te escribo otro día.

Con cariño,
Emma

CAPÍTULO CINCO
Una conversación con Pepe

Emma y Teresa están hablando y comiendo. Mientras comen, Pepe se acerca a ellas. Teresa le dice:

—Hola, Pepe. Siéntate.

Emma está feliz cuando Pepe se sienta. Emma está feliz porque Pepe está vivo. Y está feliz porque puede hablar con Pepe.

Pepe se sienta al lado de Emma. Pepe mira a Emma y le dice:

—Hola Emma. ¿Cómo estás? Hoy no estoy morado y no estoy asfixiándome. Estoy mucho mejor.

Pepe está comiendo una empanada de queso. Teresa se levanta y les dice:

—Me voy. Tengo muchas tareas que hacer. Chao.

Emma le dice a Pepe:

—Prefiero verte cuando no estás morado y cuando puedes respirar.

Los dos hablan. Hablan de Chile. Hablan de la escuela. Hablan de las clases. Hablan de la clase de castellano.

Emma le pregunta:

—¿Por qué dicen "chao" en Chile y nunca dicen

"adiós"?

Pepe le explica:

—Usas la palabra adiós cuando no vas a ver más a la persona. Indica el fin.

—Ya comprendo. Entonces si yo regreso a Arizona y no pienso regresar, yo digo "adiós".

—Exactamente —responde Pepe.

—Ya entiendo —dice Emma.

Pepe habla con Emma acerca de la música de Chile. Le dice que escuchan todo tipo de música. Escuchan música de los Estados Unidos como Selena Gómez o Adele. Escuchan música en inglés aunque no comprenden las palabras. También hay cantantes de España como Enrique Iglesias o Miguel Bosé. Hay cantantes de Sudamérica como Shakira y Juanes.

Pepe le dice:

—Me gusta hablar contigo. Para ser una gringa sabes mucho castellano.

—¿Qué es una gringa? —pregunta Emma.

—Una gringa es una persona que habla inglés. Generalmente se usa la palabra gringa para hablar de una persona de los Estados Unidos. Si veo a una persona con pelo rubio y piel blanca, digo que esa persona es gringa.

—Ya comprendo —responde Emma.

—Comprendes mucho. No tengo amigos en Temuco

porque soy nuevo. Todos mis amigos viven en Osorno —dice Pepe.

—Háblame de Osorno.

—Osorno es muy bonito. Osorno está cerca de un lago grande. El lago es muy grande. El lago tiene color verde. Le dicen Lago Esmeralda por el color verde que tiene. Su nombre realmente es Lago de Todos Los Santos. También hay un volcán que se llama Osorno. No está activo pero es muy hermoso.

Pepe está hablando de Osorno cuando Emma le interrumpe diciendo:

—¿Por qué estás aquí en Temuco?

—Porque mi padre tiene un nuevo trabajo. Es vendedor de autos. Es mejor para él aquí en Temuco. Temuco es un lugar bueno, creo. Me gusta Temuco aunque no tengo amigos aquí.

Mientras están hablando, Jaime Campos camina hacia ellos. Es muy grande, más grande que un gorila. Él grita:

—¿Pepe, estás respirando hoy?

Pepe está tomando leche. Jaime agarra la leche de Pepe y le tira la leche en la camisa.

Emma grita:

—¡Qué malo eres!

Pepe le grita:

—¡Idiota!

Pepe está muy enojado. No le gusta Jaime. No le gustan las personas como Jaime. Pepe se limpia la camisa con una servilleta. Jaime se ríe y se va.

—Jaime es un tonto —dice Pepe.

—Jaime es un idiota. No me gusta. Necesita irse al planeta Saturno, donde no hay personas —dice Emma mientras le ayuda a Pepe a limpiar la camisa.

Pepe le dice:

—Gracias, Emma.

Los dos se levantan y van a diferentes salones de clase. Emma trata de pensar en la clase pero no puede concentrarse. Emma piensa en Pepe. Piensa en sus ojos, su pelo y su personalidad. Piensa en la fiesta del 18 de septiembre.

Querida Alicia,   21 de agosto

No vas a creer esto. Hoy hablamos Pepe y yo en la escuela. Hablamos mucho de Chile, música, la escuela y todo. Mientras hablábamos, vino Jaime Campos. Jaime agarró la leche de Pepe y le tiró la leche en la camisa. Pepe y yo estábamos muy enojados. Limpiamos su camisa. No nos gusta Jaime. Es un idiota.

Con cariño,
Emma

CAPÍTULO SEIS
Las fiestas

Emma no habla con Pepe Ayala por dos semanas. Ella lo ve en la escuela pero no habla con él. Ella no lo ve después de las clases. Ella lo ve una vez en la escuela pero él está muy lejos. Pepe no la ve a ella. Emma no habla con Pepe pero ella piensa en él. ¿Por qué piensa ella en Pepe? No es su amigo. Es guapo pero Zac Efron es más guapo. ¿Por qué piensa Emma en él? Ella se pregunta por qué no habla él con ella en la escuela. ¿La recuerda Pepe? Probablemente piensa mucho en ella. ¡Ella le salvó la vida!

Entonces, un día Emma ve a Pepe Ayala de nuevo. Es la hora del almuerzo. Emma y Teresa están comiendo en la escuela. Hoy comen empanadas. Emma piensa que las empanadas son muy buenas. Ella y Teresa comen empanadas y hablan de chicos.

—¿Con quién vas a la fiesta del 18 de septiembre? —Emma le pregunta.

—Emma, aquí en Chile vamos a las fiestas en grupos. Si quieres pasar tiempo con un chico guapo, necesitas ir a una fiesta. El problema es que hay muchas fiestas. Tienes que preguntarles a muchas personas para saber

de las fiestas y saber qué muchacho va a qué fiesta.

Emma piensa en esto. La fiesta del 18 de septiembre es en dos semanas. Hay una fiesta grande en la escuela pero también hay muchas fiestas en casas particulares. Teresa le explica a Emma que hay una fiesta en la casa de Jaime Campos, una en la casa de Pedro Gómez y hay otra en la casa de Mónica Krause.

—No voy a la fiesta de Jaime. Jaime me da miedo —dice Emma.

—Yo tampoco voy a esa fiesta. No me gusta la fiesta y no me gusta el muchacho —explica Teresa.

—¿Por qué no vamos a la fiesta de Pedro? Es un chico muy guapo y simpático.

Emma come un plátano y dice:

—Teresa, quiero ir a una fiesta. Quiero ver a Pepe Ayala en la fiesta. Pepe es muy amable y guapo.

—¿Pepe Ayala? ¿El chico nuevo? ¿El chico que casi se murió en la escuela?

—Sí.

—Emma, el problema es que él es nuevo. Él no tiene su grupo de amigos. Aquí todos van a la fiesta de sus amigos. Pepe no tiene amigos. Él no va a una fiesta —explica Teresa mientras come una empanada.

—Teresa, vamos a la fiesta grande en la escuela. Pepe es nuevo. A lo mejor va a la fiesta en la escuela —responde Emma.

Pepe ve a las chicas. Camina hacia ellas. Pepe se sienta y les dice:

—¡Hola!

Las chicas hablan más de las fiestas. Emma mira a Pepe y le dice:

—Pepe, ¿vas a una de las fiestas a celebrar el 18 de septiembre? Hay muchas fiestas aquí en Temuco.

—Hay muchas fiestas en Osorno también. Soy nuevo aquí. No sé nada de las fiestas de Temuco.

Emma le habla y le dice:

—Teresa dice que hay una fiesta grande en la escuela. Dice que es una fiesta grande con muchos chicos de la escuela. Todos bailan y escuchan la música de Enrique Iglesias. Comen empanadas y papitas fritas. Es una celebración fantástica.

Pepe dice:

—Bueno. Muy bien. Vengo a la fiesta de la escuela.

Se levanta y sale. Les dice:

—Gracias. Chao. ¡Hasta luego!

Las dos chicas contestan:

—Chao. Nos vemos.

Querida Nicia: 3 de septiembre

Hoy hablé con Pepe. Es tan guapo. Es la primera vez que hablo con él en mucho tiempo.

En Chile hay una gran celebración por su independencia. Es similar al 4 de julio en los Estados Unidos. Hay muchas ramadas, que son fiestas donde todos bailan la cueca. La cueca es el baile nacional de Chile. Hay muchas fiestas. Hay una fiesta grande en la escuela. Creo que Pepe va a la fiesta de la escuela. Estoy muy contenta.

Vamos a la fiesta en dos semanas.

Con cariño,
Emma

CAPÍTULO SIETE
Problemas en la fiesta

En Chile el 18 de septiembre es un día importante. Hay fiestas en todas partes de Chile. Hay fiestas en Temuco, donde vive Emma. Todos ponen la bandera de Chile delante de la casa. Muchos bailan la cueca. Es el baile nacional de Chile. Todos comen empanadas.

Hoy Emma, Teresa y Pepe van a la fiesta en la escuela. Emma sabe que en Chile las muchachas normalmente no van solas a las fiestas. Puede ir con Teresa y Elena. Elena es la hermana menor de Teresa.

Emma y Teresa hablan con Pedro, el papá de Teresa. Pedro les pregunta por sus planes:

—¿Adónde van? ¿A qué hora vuelven? ¿Con quién van? ¿Dónde es la fiesta?

Contestan que van a una fiesta con Elena. Dicen que la fiesta es en la escuela y que van a volver antes de la medianoche.

Pedro les dice que pueden ir si Elena va con ellas. Les dice:

—Regresen antes de la medianoche.

Emma piensa en Jaime. Está feliz porque Jaime no va a la fiesta de la escuela. A Emma no le gusta Jaime. Es muy malo y siempre se ríe de otras personas, especialmente de Pepe. Jaime se ríe de Pepe cada día en la escuela. Le dice "idiota" y "tonto".

Pepe no le hace nada a Jaime porque Pepe no quiere tener problemas. No quiere tener problemas en la escuela y no quiere más problemas con Jaime. Emma trata de no pensar en Jaime.

Emma y Teresa se preparan para ir a la fiesta. Emma está nerviosa porque es una experiencia nueva para ella. No sabe nada de las fiestas en Chile. Ella se mira en el espejo. ¿Está bien su pelo? ¿Cómo está su ropa? ¿Está bien su maquillaje? Ella va a la fiesta con una blusa roja y pantalones azules. ¿Los colores son bonitos? ¿De qué puede hablar en la fiesta? Ella está un poco preocupada.

Habla con Teresa. Teresa le dice que su pelo y su maquillaje están muy bonitos y que su ropa está perfecta.

Cuando están listas, Emma y Teresa les dicen "chao" a Pedro y a su esposa Victoria y salen para la escuela con Elena.

Mientras van a la escuela, hablan de la clase

de ciencias, de la clase de castellano y de la clase de matemáticas. Hablan de los muchachos y las muchachas que van a la fiesta. También hablan de las diferencias entre los dos países. Emma explica que Chile es diferente porque hace frío en septiembre. En Arizona no hace frío en septiembre. Hablan de las películas nuevas en Chile y de la música en Chile. Emma está contenta porque tiene una amiga como Teresa. Es fácil hablar con ella. Elena escucha la conversación pero no dice nada.

La fiesta comienza a las 9 de la noche. Cuando llegan a la escuela, Emma observa que no hay nadie. Ella le pregunta a Teresa:

—¿Dónde están los otros?

Teresa le explica que en Latinoamérica nadie llega a tiempo a nada. Todos dicen que la fiesta comienza a una hora exacta pero nadie va a esa hora. Todos llegan más tarde.

Hay muchas decoraciones. Hay muchas banderas de Chile. La bandera de Chile es muy similar a la bandera de los Estados Unidos porque tiene los colores rojo, blanco y azul. La bandera chilena tiene una estrella (como la bandera de Texas) y la bandera de los Estados Unidos tiene cincuenta. Más tarde los otros llegan a la fiesta. Una banda toca música popular. Muchos comienzan a bailar. Hay banderas y flores en las mesas. Algunos estudiantes están hablando en grupos. También algunos profesores están en la fiesta. Hay una mesa que tiene fruta, empanadas, soda y jugo. Todo está maravilloso.

Pepe ve a las dos chicas y les dice:

—Hola. ¿Cómo están?

—Hola, Pepe —le dice Emma con mucha emoción. Emma le sonríe.

—Vamos a bailar. Me gusta la música —dice Pepe.

Bailan. Emma piensa que la música es diferente aquí pero le gusta. Es muy fuerte. Bailan por mucho tiempo. Hay canciones lentas y canciones rápidas. Después de bailar un rato, van a las mesas para comer. Pepe pone el brazo alrededor de Emma y le dice:

—Tú eres muy buena para bailar.

—Tú bailas muy bien también —responde Emma.

Los dos ríen. Es una fiesta muy buena. Emma está muy contenta de estar en otra cultura, otro país, otra ciudad y con Pepe.

Emma ve que Teresa está hablando con un grupo de estudiantes. Los dos se acercan al grupo.

Emma les dice:

—Me gustan las empanadas. ¿Quién preparó

estas empanadas tan ricas?

—Mi tía Rosa las preparó —dice Estela, una de las chicas en el grupo.

—Están deliciosas.

—Mi tía las prepara cada año para esta fiesta —explica Estela.

Muchos en el grupo tienen hambre y comen empanadas y toman refrescos. Se sientan a la mesa y hablan. Pepe y Emma se sientan y hablan con Teresa y otros del grupo. Emma está feliz porque está con Pepe. Pepe no tiene problemas con los estudiantes en el grupo. No tiene problemas con nadie más que con Jaime Campos. Es una noche maravillosa porque Jaime Campos no está en la fiesta. Emma piensa que es la mejor fiesta de su vida.

De repente, pasa algo malo. Jaime Campos llega a la fiesta. Emma y Pepe no lo ven porque están hablando pero los otros estudiantes lo ven entrar y lo miran.

Mientras Emma y Pepe están hablando, Jaime camina hacia ellos. Cuando Emma lo ve, se pone de mal humor. Jaime sonríe y dice:

—Hola, chicos. Hola, idiota. ¿Cómo está la fiesta?

—¡Estaba buena pero ahora no! —gritan todos. Jaime dice:

—Sí. Ya veo. Pueden bailar porque hay música buena. Pueden comer porque hay comida buena. Posiblemente Pepe se muera esta vez con esta comida.

Pepe grita:

—¡Basta! No me gusta cómo me hablas. ¡Deja de molestar!

—¿Por qué no vuelves con tu mamita, Pepe? —grita Jaime.

Jaime pone el brazo alrededor de Emma y habla como un bebé:

—Pobre Emma. ¿Soy malo?

Pepe grita:

—¡Basta! ¡Vete!

Jaime se acerca más a Emma. Jaime es tan grande. Emma tiene miedo. Pepe se levanta y grita:

—¡Basta! ¡No más!

Pepe le dice a Emma:

—¿Quieres bailar?

—Sí. Vamos.

Salen a bailar. Bailan por el resto de la fiesta porque no quieren ver a Jaime. La fiesta se arruinó por la presencia de Jaime.

Emma, Teresa y Elena vuelven a su casa a las once y media. Su papá está feliz porque Emma llega a casa a tiempo.

Querida Alicia: *18* de septiembre

   Esta noche fui a la fiesta. La fiesta estuvo bien por mucho tiempo. Pero Jaime Campos llegó y arruinó la fiesta. Me fui a casa a las 11 y 30. Mi papá estaba muy contento porque llegué temprano a mi casa.

   No me gusta Jaime. Jaime quiere arruinarlo todo. No comprendo porque es tan malo.

   Vuelo a Arizona en dos semanas.

Con cariño,
Emma

CAPÍTULO OCHO
Jaime casi se muere

Emma está muy triste. Es su último día en la escuela. Mañana vuelve a Arizona. No sabe cuándo va a ver a Teresa y a Pepe. Tiene tantos amigos buenos en Chile.

En la escuela no hablan de la fiesta. No hablan de Jaime Campos. Hablan de fútbol y de las películas nuevas en Temuco. Hablan acerca de Emma porque mañana ella regresa a Arizona.

Pepe, Emma y Teresa ahora son buenos amigos. Estudian juntos. Van al parque y a veces miran la tele juntos. Comen juntos y ríen juntos.

Hoy en la escuela están hablando acerca de la tarea de matemáticas. Emma mira a un lado y ve a Jaime Campos. Jaime está solo. Jaime está muy solo. Emma se siente un poco triste porque Jaime no tiene muchos amigos. Ella trata de no pensar en Jaime. Ella está enojada con él porque arruinó la fiesta.

Emma mira a Jaime. Jaime no está bien. Algo está mal. Jaime está mal. La cara de Jaime está diferente. La cara está... morada. ¿Una cara morada? ¿Se está asfixiando Jaime?

—Pepe —dice Emma, —mira a Jaime. Algo es

diferente. Algo está mal.

—Emma, por favor, no quiero mirar a Jaime. Me enferma ver su cara.

—No, Pepe. Mírale. Algo está mal.

Pepe mira a Jaime. Ve que tiene la cara morada. Ve que algo está muy mal. Pepe grita:

—Emma, Jaime no puede tomar aire. Jaime, se está...

—Asfixiando —dice Emma.

Pepe no puede decir nada porque corre hacia Jaime para ayudarlo. Emma va también. No les gusta Jaime pero Jaime puede morirse.

—Jaime, ¿puedes tomar aire? ¿Estás asfixiándote?

Jaime mueve la cabeza de una manera negativa. Jaime tiene miedo. La cara está realmente morada ahora.

Pepe se pone detrás de Jaime y pone los brazos alrededor del estómago de Jaime. Le presiona fuerte en el estómago. Un pedazo de comida sale de la boca de Jaime. Cae al piso. Jaime por fin puede respirar.

Muchos están observando. Estudiantes y profesores. Un profesor pregunta:

—¿Estás bien?, Jaime. ¿Qué te pasa?

Un estudiante pregunta:

—¿Se muere Jaime?

Pepe dice:

—Jaime está bien. No podía respirar pero ahora está

bien. Ahora puede respirar muy bien.

Jaime está sentado a la mesa. Le es muy difícil respirar pero sí puede. La cara está normal. No está morada. Jaime todavía tiene miedo.

—Jaime, ¿estás bien?

Jaime mueve la cabeza pero no dice nada. Toma un poco de agua. Tiene vergüenza pero no dice nada.

—Jaime, ¿estás bien? —pregunta Pepe.

—Sí. Ahora estoy bien.

Jaime mira hacia el suelo. Se siente muy mal.

Pepe y Emma comienzan a regresar a su mesa cuando Jaime les dice:

—¡Esperen!

Ellos esperan pero Jaime no dice nada. Después de un momento, Jaime dice algo en voz baja. Nadie le oye.

—¿Qué dices?, Jaime. No oigo nada —dice Pepe.

—Gracias, Pepe. Tú me salvaste la vida.

—No es nada.

Pepe y Emma comienzan a volver a la mesa cuando Jaime le dice:

—Y Pepe. . .

—¿Cómo? No te oigo.

—Pepe, discu...

—Jaime, no oigo nada. ¿Qué estás diciendo?

—Discúlpame por todo —le dice en una voz muy suave.

Emma sonríe. El muchacho malo está pidiendo perdón. Ella piensa: "Lo veo pero no lo creo."

Y Pepe dice:

—Jaime, no te oigo. ¿Puedes repetir eso? Estás hablando en una voz muy suave.

—Discúlpame por todo —lo dice con una voz un poco más fuerte.

—¿Qué? —dice Emma.

—¡Discúlpame por todo! —Esta vez Jaime les grita. Esta vez todos lo oyen.

Pepe le dice:

—No es gran cosa.

Emma mira a Jaime. Jaime está solo. Jaime no tiene amigos. Necesita amigos. Emma se levanta y camina hacia Jaime. Le dice:

—¿Quieres sentarte con nosotros?

Jaime se levanta y camina hacia la mesa de Pepe y Emma. Se sienta y comienza a hablar con ellos.

Al día siguiente, muchos estudiantes de la escuela van al aeropuerto. Cuando Emma se sube al avión, todos le gritan:

—¡Adiós!

Emma se siente tan triste porque sale de Chile y deja a sus amigos. Por fin comprende el significado de la palabra adiós en Sudamérica.

47

Glosario

A

a *to, at, in, into, onto, on*
acción *action*
acerca: acerca de *about*
    se acerca a *s/he approaches, goes up to*
acercan: se acercan al *they approach the, they go up to the*
acompaña *s/he goes with*
Aconcagua *a mountain in Argentina*
activo *active*
adiós *goodbye*
adónde *where to*
aérea *air as in airline*
    línea aérea nacional *national airline*
aeropuerto *airport*
agarra *s/he grabs*
agarró *s/he grabbed*
agosto *August*
agua *water*
ahora *now*
aire *air*
al (a + el) *to the, at the, into the, on the, onto the, in the*
    al día siguiente *the next day*
alemanes *Germans*
algo *something*
algunas / algunos *some*
allí *there, over there*
almuerzo *lunch*
alrededor de *around*
alta *tall*

amable *kind, nice, friendly*
amiga(s) / amigo(s) *friend(s)*
amplia *spacious*
Andes *a mountain range in Chile*
año(s) *year(s)*
antes de *before*
Antofagasta *a city in Chile*
aprender *to learn*
aquí *here*
arruinarlo todo *to ruin everything*
arruinó *s/he ruined*
arte *art*
ascendencia *ancestry*
asfixiando *suffocating*
asfixiándome *suffocating me*
asfixiándote *suffocating you*
así *like that, in that way*
    así que *so (that)*
    se llama así *it is called this way*
Atacama *a desert in Chile*
aunque *even though, although*
auto(s) *car(s)*
avión *plane*
ayuda *s/he helps*
ayudar *to help*
ayudarlo *to help him*
ayudarte *to help you*
ayudé *I helped*
ayudó *s/he helped*
azul(es) *blue*

B

bailan *they dance*
bailar *to dance*

bailas *you dance*
baile *dance*
baja *short*
   en voz baja *in a quiet voice,*
   whispering
bajé: me bajé del *I got off of the*
banda *band*
bandera(s) *flag(s)*
baño *bathroom*
barato *cheap*
¡Basta! *(That's) enough!*
bebé *baby*
biblioteca *library*
bien *well, OK*
blanca / blanco *white*
blusa *blouse*
boca *mouth*
bonita / bonito(s) *pretty*
brazo(s) *arm(s)*
buena(s) / bueno(s) *good*
burritos *burritos*
bus *bus*
busqué *I looked for*

C

cabeza *head*
cada *each*
cae *s/he falls*
calle *street*
cambia *s/he changes*
cambian *they change*
camina *s/he walks*
caminan *they walk*
caminar *to walk*
camisa *shirt*
canciones *songs*
Cancún *beach town in Mexico*

cantantes *singers*
capital *capitol*
cara *face*
cariño *affection, love*
carne *meat*
caro *expensive*
carretera *highway*
carros *cars*
carta *letter*
casa(s) *house(s)*
   casas particulares *private*
   residences rented to tourists
casi *almost, nearly*
castellano *Spanish (language)*
cebollas *onions*
celebración *celebration*
celebrar *to celebrate*
celular: teléfono celular *cell phone*
centro comercial *mall*
cerca de *near*
chao *bye*
chica(s) *girl(s)*
chico(s) *boy(s)*
chilena(s) / chilenos *Chilean*
ciencias *science*
cierran *they close*
cincuenta *fifty*
ciudad *city*
clase(s) *class(es)*
clima *climate*
cocina *kitchen*
color(es) *color(s)*
come *s/he eats*
comen *they eat*
comer *to eat*
comercial: centro comercial *mall*
comida *food*

comiendo *eating*
comienza (a) *begins (to)*
comienzan (a) *they begin (to)*
como *like, as*
cómo *how*
comparado (con) *compared (with)*
completamente *completely*
comprende *s/he understands*
comprenden *they understand*
comprendes *you understand*
comprendo *I understand*
computadora *computer*
comunicarnos: pudimos comunicarnos *we could communicate with each other*
con *with*
concentrarse *to concentrate*
Concepción *city in Chile*
contenta / contento(s) *content, happy*
contesta *s/he answers*
contestan *they answer*
contigo *with you*
contra *against*
conversación *conversation*
corbata *tie*
corre *s/he runs*
corrí *I ran*
cosa(s) *thing(s)*
costa *coast*
creer *to believe*
creo *I believe*
cuando / cuándo *when*
cuatro *four*
cueca *handkerchief dance*
cultura *culture*

D

da *s/he gives*
   me da miedo *s/he scares me*
de *of, from, about*
   las de *the ones by*
decir *to say, to tell*
decirme *to tell me*
decirte *to tell you*
decoraciones *decorations*
deja *s/he leaves*
   deja de molestar *stop bothering (me) (command)*
del *of the, from the*
delante de *in front of*
deliciosas *delicious*
dentro de *inside*
describe *s/he describes*
desde *from*
desierto *desert*
después de *after*
detalles *details*
detrás de *behind*
día(s) *day(s)*
   al día siguiente *the next day*
dice *s/he says, tells*
dicen *they say, they tell, they call*
   le dicen Alicia *they call her Alicia*
dices *you say, tell*
diciendo *saying, telling*
dieciocho *eighteen*
dieciséis *sixteen*
diez *ten*
diferencia(s) *difference(s)*
diferente(s) *different(s)*
difícil *difficult*
digo *I say, I tell*

dijo s/he said, told
directo direct
discúlpame excuse me, I'm sorry (command)
divertimos: nos divertimos we had a good time, we had fun
doce twelve
doctora doctor
dominio domain
donde / dónde where
dormitorios bedrooms
dos two

E
edad age
el the
él he, him
ella her, she
ellas they, them (feminine)
ellos they, them (masculine or mixed)
emoción emotion
empanada(s) meat pie(s)
en in, on, at
enchiladas enchiladas
enemigos enemies
enferma sick
enojada / enojado(s) angry
ensalada salad
enseñando teaching
entiendo I understand
entonces then
entrar to enter
entre between
era s/he / it was
eran they were
eres you are

es s/he / it is
esa / ese / eso that
escogen they choose
escribe s/he writes
escribo I write
escucha s/he listens
escuchan they listen
escuela(s) school(s)
esmeralda emerald
España Spain
español Spanish
especial special
especialmente especially
espejo mirror
esperaban they were waiting
esperan they wait
esperen wait (plural command)
esposa wife
esta this
está s/he / it is
estaba s/he / it was
estábamos we were
Estados Unidos United States
están they are
estar to be
estas these
estás you are
esto this
estómago stomach
estoy I am
estrella star
estudia s/he studies
estudian they study
estudiando studying
estudiante(s) student(s)
estuve I was
estuvimos we were

estuvo *s/he / it was*
Europa *Europe*
evento *event*
exacta *exact*
exactamente *exactly*
excepción *exception*
experiencia *experience*
explica *s/he explains*

F
fácil *easy*
falda *skirt*
familia *family*
familias *families*
famosa / famoso *famous*
fantástica *fantastic*
favor: por favor *please*
favorita *favorite*
feliz *happy*
fiesta *party*
fiestas *parties*
fin *end*
   por fin *at last, finally*
flores *flowers*
fríen *they fry*
frío *cold*
   hace frío *it's cold (weather)*
fritas *fried*
fruta *fruit*
fue *was*
fueron *they were*
fuerte *loud, strong, hard*
fui *I went*
fuimos *we went*
fútbol *soccer*

G
garganta *throat*
generalmente *generally*
gigante *giant*
gorila *gorilla*
gracias *thanks*
gran / grande(s) *big*
gringa *foreigner*
grita *s/he screams, shouts*
gritan *they scream, they shout*
gritar *to scream, to shout*
grupo(s) *group(s)*
guapo(s) *good-looking*
gusta *it pleases*
   le gusta *she/he likes (it pleases her/him)*
   me gusta *I like (it pleases me)*
   no les gusta J. *they don't like J. (J. doesn't please them)*
   no nos gusta *we don't like (he doesn't please us)*
   te gusta *you like (it pleases you)*
gustan *they please*
   no le gustan *he doesn't like them (they don't please him)*
gustó *pleased*
   me gustó *I liked (it pleased me)*

H
había *there were*
habla *s/he speaks*
hablábamos *we spoke*
hablaban *they spoke*
háblame *speak to me (command)*
hablamos *we spoke*
hablan *they speak*
hablando *speaking*

hablar *to speak*
hablarlo *to speak it*
hablas *you speak*
hablé *I spoke*
hablo *I speak*
habló *s/he spoke*
hace *s/he / it does, makes*
   hace... años... *years ago*
   hace frío *it's cold (weather)*
   hace sol *it's sunny*
   lo hace todo *he does everything*
hacen *they do, they make*
hacer *to make, to do*
   hacer una solicitud *to put in an application*
hacia *towards*
   camina hacia (una persona) *s/he walks up to (a person)*
   corre hacia (una persona) *s/he runs to (a person)*
hambre: tienen hambre *they are hungry*
hamburguesa *hamburger*
hasta *until*
   hasta luego *see you later*
hay *there is, there are*
   hay que *it is necessary to*
hermana *sister*
hermano *brother*
hermosas / hermoso *beautiful*
heroína *heroine*
hicimos: nos hicimos *we became*
hija *daughter*
hola *hello, hi*
hombre *man*
hora(s) *hour(s)*
horno *oven*

hospital *hospital*
hotel *hotel*
hoy *today*
humor *mood*
   de mal humor *in a bad mood*

I
idiota *idiot*
igual que *identical to, the same as*
importa *it matters*
   a P. no le importa J. para nada *P. doesn't care at all about J.; J. doesn't matter at all to P.*
importante *important*
independencia *independence*
indica *indicates*
influencia *influence*
Inglaterra *England*
inglés *English*
inteligente *intelligent*
interés *interest*
interesante(s) *interesting*
internacional *international*
interrumpe *interrupts*
invierno *winter*
ir *to go*
irse *to leave*
italiana *Italian*

J
joven *young, young person*
jugo *juice*
julio *July*
juntos *together*

L
la *the, her, it*

lado *side*
 al lado de *at the side of, beside*
lago *lake*
¡Lárgate! *Beat it! Get out of here!*
largo *long*
las *the, them*
Latinoamérica *Latin America*
le *to him, to her, you, her, him*
 a P. no le importa J. para nada
 P. doesn't care at all about J.; J.
 doesn't matter at all to P.
 le dicen Alicia *they call her*
 Alicia
 le mira a los ojos *he looks her*
 in the eyes
 le salvó la vida *s/he saved his life*
 le tienen miedo *they're afraid*
 of him
 le tira la leche en la camisa
 s/he throws the milk on his shirt
 le toca el pelo a P. *s/he touches*
 P.'s hair
leche *milk*
lee *s/he reads*
leer *to read*
lejos *far*
lengua *language*
lentas *slow*
les *them, to them*
 no les gusta J. *they don't like J.*
 (J. doesn't please them)
levanta: se levanta *s/he gets up,*
 stands up
levantan: se levantan *they get up,*
 they stand up
libro(s) *book(s)*
limpia *s/he cleans*

P. se limpia la camisa *P. wipes*
 off his (own) shirt
limpiamos *we cleaned*
limpiar *to clean*
línea *line*
 línea aérea *airline*
listas *ready*
llama: se llama *is called*
llamaba: se llamaba *was called*
llamada *called*
llaman: se llaman *they are called*
llega a *arrives at, gets to*
llegamos a *we arrived at, we got to*
llegan a *they arrive at, they get to*
llegó *s/he arrived*
llegué a *I arrived at, I got to*
lleva *s/he wears*
llevan *they wear*
llueve *it rains*
lo *him, it*
 lo hace todo *he does everything*
los *the, them, the ones*
 los de California *the ones in*
 California
luego *then, next*
 hasta luego *see you later*
lugar *place*

M
madre *mother*
mal, malo *bad, wrong, sick*
 algo está mal *something's wrong*
mamá *mama*
mamita *mommy*
mañana *morning, tomorrow*
manda *s/he sends*
manejar *to drive*

manera *manner, way*
mano(s) *hand(s)*
maquillaje *make-up*
mar *sea*
maravillosa / maravilloso *marvelous*
más *more, most*
  más de *more than (a number)*
  más que con *except with*
masa *dough*
matemáticas *mathematics*
mayoría *majority*
me *me, to me, for me, myself*
media *half*
  las once y media *11:30*
medianoche *midnight*
medio *middle*
mejor *better, best*
  a lo mejor *probably*
  la mejor *the best*
menor *younger*
mensaje *message*
mesa(s) *table(s)*
meses *months*
meten... a *they put... into, they stick... into*
México *Mexico*
mi *my*
microondas *microwave*
miedo *fear*
  le tienen miedo *they're afraid of him*
  me da miedo *it scares me*
  tiene miedo *s/he is afraid*
mientras *while*
miniván *minivan*
minutos *minutes*

mira *s/he looks at; look (command)*
  se mira *she looks at herself*
mírale *look at him (command)*
miran *they look (at), watch*
mirar *to look at*
mis *my*
misma / mismo *same*
molestar *to annoy, to bother*
momento *moment*
montaña(s) *mountain(s)*
morada / morado *purple*
morirse *to die*
mucha(s) / mucho(s) *a lot, much*
muchachas *girls*
muchacho(s) *boy(s)*
muera: posiblemente P. se muera *maybe P. will die*
muere: se muere *s/he dies, is dying*
mueve *s/he moves*
murió: se murió *s/he died*
música *music*
muy *very*

N
nacional *national*
nada *nothing*
  de nada *you're welcome (it's nothing)*
  para nada *not at all*
nadie *no one*
necesita *needs*
necesitan *they need*
necesitas *you need*
negativa *negative*
nerviosa *nervous*
ni *neither, nor*
  ni... ni *neither... nor*

no *no*
noche *night*
nombre *name*
normal *normal*
normalmente *normally*
norte *north*
nos *us, to us, ourselves, each other*
   nos divertimos *we enjoyed ourselves, we had fun*
   nos hicimos *we became*
   nos subimos *we got on*
   nos vamos a la costa *we're going to the coast*
   nos vemos *See you later (bye-bye), we'll see each other*
nosotros *we, us*
novelas *novels*
nueva(s) / nuevo(s) *new*
nunca *never*

O

o *or*
obligatorio *obligatory, compulsory*
observa *s/he observes*
observando *observing*
oficina *office*
oigo *I hear*
ojos *eyes*
once *eleven*
oportunidad *opportunity*
Osorno *a town in Chile*
otra(s) / otro(s) *other*
oye *s/he hears*
oyen *they hear*

P

padre *father*

padres *parents*
país *country, nation*
países *countries, nations*
palabra(s) *word(s)*
pan *bread*
Panamericana *Pan American*
pantalones *pants*
papá *dad, papa*
papas *potatoes*
papitas fritas *fried potatoes*
para *for, (in order) to*
   para nada *not at all*
   para ser una gringa *for an American*
parque *park*
partes *parts*
particulares: casas particulares *private residences rented to tourists*
pasa *it happens, is happening, spends (time)*
   algo le pasa a P. *something's happening to P., something's wrong with P.*
   ¿Qué te pasa? *What's happening to you? What's wrong with you?*
pasamos *we spent (time)*
pasan *they spend (time)*
pasar *to spend (time)*
patria *native country*
pedazo *piece*
pedimos *we asked for, we ordered*
pega *s/he hits, strikes*
pegó *s/he hit*
pelear *to fight*
películas *movies*
pelo *hair*

pensar en *to think about*
perdón *pardon*
  pidiendo perdón *apologizing*
perfecta *perfect*
pero *but*
persona *person*
personalidad *personality*
personas *people*
pide *s/he asks for, requests*
pidiendo *asking, requesting*
  pidiendo perdón *apologizing*
piel *skin*
piensa (en) *s/he thinks (about)*
pienso en *I think about, I plan*
  no pienso regresar *I don't plan on coming back*
piscina *pool*
piso(s) *floor(s)*
pizza *pizza*
planes *plans*
planeta *planet*
plátano *banana*
plato *dish*
playa(s) *beach(es)*
pobre *poor*
poca / poco *a little (bit of)*
pocos *(a) few*
  unos pocos días *a few days*
podía *s/he was able, could*
policía *police*
pone *s/he puts, places, sets*
  se pone detrás de *s/he places oneself behind*
  se pone de mal humor *s/he gets in a bad mood*
ponen *they put, place, set*
poner *to put, place, set*

popular *popular*
por *by, for, through*
  por favor *please*
  por fin *at last, finally*
  por la presencia *by the presence*
  por mucho tiempo *for a long time*
por qué *why*
porque *because*
posibilidad *possibility*
posiblemente *possibly*
practicarlo *to practice it*
prefiere *s/he prefers*
prefiero *I prefer*
pregunta *s/he asks*
  se pregunta *s/he wonders, asks herself*
preguntarles *to ask them*
prenden *they switch on*
preocupada *worried*
prepara *s/he prepares*
preparan: se preparan *they get (themselves) ready*
preparar *to prepare*
preparó *s/he prepared*
presencia *presence*
presidente *president*
presiona *s/he presses*
presioné *I pressed*
prima / primo(s) *cousin(s)*
primer / primera *first*
privadas *private*
probablemente *probably*
problema(s) *problem(s)*
profesor / profesora(s) *teacher(s)*
Providencia *a suburb in Santiago*
públicas *public*

pudimos *we could*
pueblo *village, small town*
puede *s/he can*
pueden *they can*
puedes *you can*
puertas *doors*

Q
que *that, than, which, what*
qué *what, how*
　¡qué bueno! *great!*
　¡qué malo eres! *you're terrible!*
quedan: se quedan *they stay, they remain*
querida *dear*
queso *cheese*
quién *who*
quiere *s/he wants*
quieren *they want*
quieres *you want*
quiero *I want*
quince *fifteen*

R
radio *radio*
ramadas *parties to celebrate Chile's independence*
rápidas *rapid, fast*
raras *rare, strange*
rato *a short time, a while*
realmente *really*
rebelaron: se rebalaron *they rebelled*
rebeló: se rebeló *s/he rebelled*
recibe *s/he receives*
recuerda *s/he remembers*
refrescos *refreshments, soft drinks*

regresa *s/he returns*
regresar *to return*
regresen *return (plural command)*
regreso *I return*
reloj *clock*
repente: de repente *suddenly*
repetir *to repeat*
respirando *breathing*
respirar *to breathe*
responde *answers, responds*
restaurante *restaurant*
resto *rest, remainder*
rica(s) *rich, delicious*
ríe: se ríe (de) *s/he laughs (at)*
ríen *they laugh*
roja / rojo *red*
ropa *clothing*
rubio *blond*

S
sabe *s/he knows*
　sabe ayudar *knows how to help*
　sabe hablar *knows how to speak*
saben *they know*
saber *to know*
sabes *you know*
sacar *to take out, check out*
sala *living room*
sale (de) *s/he goes out, leaves*
salen (de) *they go out, leave*
salí *I left*
salimos (de) *we got out, left*
salió *left*
salón (de clase) *classroom*
salones *classrooms*
salva *s/he saves*
salvarme *to save me*

gracias por salvarme la vida
thanks for saving my life
salvaste *you saved*
    me salvaste la vida *you saved my life*
salvó *s/he saved*
    le salvó la vida *s/he saved his life*
Santiago *the capital of Chile*
Saturno *Saturn*
se *himself, herself, itself, oneself, themselves, yourselves*
sé *I know*
secretaria *secretary*
secundaria *secondary*
semana(s) *week(s)*
sentado *seated*
sentarte *to sit (yourself) down, to seat yourself*
senté: me senté *I sat down*
septiembre *September*
ser *to be*
servilleta *napkin*
si *if*
sí *yes*
siempre *always*
sienta: se sienta *sits down*
sientan: se sientan *they seat themselves, they sit down*
siéntate *sit down (command)*
siente *s/he feels*
significado *significance*
siguiente *following, next*
    al día siguiente *the next day*
similar(es) *similar*
simpática / simpático *nice, kind*
sin *without*
sirve *serves*

sobre *about*
soda *soda*
sol *sun*
solas / solos *alone*
solicitud *application*
solo *alone, only, just*
son *they are*
sonríe *s/he smiles*
soy *I am*
Sra. (señora) *Mrs.*
su *his, her, their, your*
suave *smooth, soft*
sube: se sube *s/he gets on*
subí: me subí *I got on*
subimos: nos subimos a *we got on*
Sudamérica *South America*
suelo *floor*
suéter *sweater*
sur *south*
sus *his, her, their, your*

T

tacos *tacos*
también *also, too*
tampoco *neither, not... either*
tan *so*
tantos *so many*
tarde *late*
    más tarde *later*
tarea(s) *homework, chore(s)*
te *you, to you, for you, yourself*
tele *television*
teléfono *telephone*
televisor *television set*
temprano *early*
Temuco *a city in Chile*
tener *to have*

tengo *I have*
tenía *s/he had*
terminan *they end*
tía *aunt*
tiempo *time*
tiendas *stores*
tiene *s/he has*
    tiene... años *s/he is... years old*
    tiene miedo *s/he is afraid*
tienen *they have*
    le tienen miedo *they're afraid of him*
    tienen hambre *they're hungry*
tienes *you have*
    tienes que preguntarles *you have to ask them*
típica(s) *typical*
tipo *type*
tira *s/he throws*
tiró *s/he threw*
toca *s/he plays (music), touches*
todas *all*
todavía *still*
todo *all, everything*
    lo hace todo *he does everything*
    todo tipo de música *all kinds of music*
todos *all, everyone*
    todos los días *every day*
toma *s/he drinks*
toman *they drink*
tomando *drinking*
tomar *to take*
    tomar aire *to breathe*
tonto *fool*
trabaja *s/he works*
trabajo *work, job*

trata de *s/he tries*
tres *three*
triste *sad*
tu *your*
tú *you*

U
último *last*
un, una *a, an*
única *only*
unida *united*
Unidos: Estados Unidos *United States*
uniforme(s) *uniform(s)*
unos *some, about*
    unos pocos días *a few days*
usa *s/he uses*
    se usa *it is used*
usan *they use, they wear*
usas *you use*

V
va *s/he goes*
vacaciones *vacation*
vamos *we go, we're going*
van *they go, they're going*
varios *various*
vas *you go, you're going*
ve *s/he sees*
veces: a veces *at times*
vecino *neighbor*
vegetación *vegetation*
veinte *twenty*
vemos *we see*
    nos vemos *See you later, we'll see each other*
ven *they see*

vendedor *salesman*
vengo *I am coming (to)*
veo *I see*
ver *to see*
verano *summer*
verdad *truth*
   es verdad *it's true*
verde *green*
vergüenza *shame, embarrassment*
   tiene vergüenza *s/he is ashamed,*
   is embarrassed
verte *to see you*
¡Vete! *Get out of here!*
vez *time, instance*
   en vez de *instead of*
vi *I saw*
viajar *to travel*
viaje *journey, trip*
vida *life*
vino *s/he came*

vive *s/he lives*
viven *they live*
vivir *to live*
vivo *I live*
volcán *volcano*
volver *to return*
voy *I go*
   me voy *I'm going, I'm leaving*
voz *voice*
vuelo *flight, I fly*
vuelve *s/he returns*
vuelven *they return*
vuelves *you return*

Y

y *and*
ya *now*
   ya no *not anymore, no longer*
yo *I, me*

Graded Readers

El verano de Ricardo

All of Ricardo's friends are excited to talk about their summer plans. There's just one problem: Ricardo doesn't have any! When Laura is interested in his friend Felipe's plans, Ricardo has to do something! But what? Find out what Ricardo decides to do and what consequences there are for that decision.

Las vacaciones de Ricardo

Six months after Ricardo got caught in his lie, everything in his life is back to normal with the exception of his new girlfriend Laura. Ricardo can't wait to spend more time with Laura during Christmas vacation. But when his grandparents sent him an invitation to Spain, will Ricardo go to meet them? Or should he stay and spend time with his girlfriend Laura?

More available at TPRSbooks.com

El trabajo de Ricardo

It's sophomore year and Ricardo really wants to surprise Laura, his girlfriend of three years, with a surprise: tickets to a concert of her favorite group! The only problem is he will have to get a job and keep it a secret to surprise her. But when Laura suspects him keeping a secret from her, will the new strain on their relationship end it all

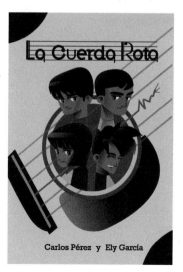

La cuerda rota

The Panas are a band in Venezuela who have found relative success locally. But when they find out about a national competition that could make them famous, stress is added to the friendship. Will their friendship survive? Will they play in the competition? What will happen to the Panas?

Graded Readers

La Estatua

When Lola's dad returns home from a trip to the Yucatan Peninsula in Mexico, he brings a special gift. It isn't the gift they all expected because this gift has mystical powers that haunt the family. Will Lola be able to escape the powers of the Chacmool and rescue her family from its TERROR!?

La pena de crecer

Carmina and Lisbeth have been friends since kindergarten, and all summer they made plans to have the best eighth grade year ever. But from the first day of school, everything goes wrong! Struggling with secrets, a mysterious new boy, and the meanest math teacher ever, will Carmina be able to save their friendship? Or is losing her best friend part of the heartbreak of growing up?

More available at TPRSbooks.com

Nuevas conversaciones, nuevas complicaciones

Antonio is new in school in Santiago de Chile. He and doesn't know anyone, but soon adjusts to his new school. As he meets new classmates, he is befriended by Adela, Félix and Elena - but what are their true intentions? As their relationships grow and change, Antonio and his new friends face new realities and challenging decision

Niños en la calle

Niños en la calle is the story of a sister and brother who work in the sugarcane fields of the Dominican Republic... until a hurricane rips through their lives, changing everything. Now Sofía and Rafa must learn to survive on the streets of Santo Domingo. Will they make it to a better life or be swept away by trauma and poverty?

EXPLORE OUR
OTHER SPANISH TITLES

AVAILABLE AT TPRSbooks.com